Bleue comme une orange...

LA PROVENCE

Photographies de
Sonja Bullaty
et Angelo Lomeo

Texte de
Marie-Ange Guillaume

Editions Abbeville
New York - Paris - Londres

sur la jaquette :
voir page 77
Les Alpilles

page 1
Bonnieux

pages 2-3
Le mont Ventoux

page 4
Les Alpilles

page 5
Gordes

pages 6-7
Le monastère Saint-Paul-de-Mausole à Saint-Rémy-de-Provence

page 9, en haut
Sarcophage des Alyscamps, Arles

page 9, en bas
Saint-Rémy-de-Provence

pages 10-11
Place Van Gogh, Arles

Deuxième édition
Cet ouvrage a été achevé d'imprimer en mars 1994
Dépôt légal 2e trimestre 1994
ISBN 2-87946-027-1
Imprimé à Hong Kong

N
Villefranche
NICE
Saint-Paul-de-Vence
Gourdon
CANNES
Sisteron
ALPES-DE-HAUTE-PROVENCE
PLATEAU DU VAUCLUSE
Valensole
Riez
MONT VENTOUX
Sault
Vaison-la-Romaine
LES DENTELLES DE MONTMIRAIL
Le Barroux
Roussillon
LUBÉRON
Jouques
ORANGE
Ardèche
Gordes
Bonnieux
Lourmarin
MONTAGNE SAINTE-VICTOIRE
Ménerbes
Vauvenargues
Croix de Provence
AVIGNON
Villeneuve-les-Avignon
Chateaurenard
Durance
AIX-EN-PROVENCE
TOULON
Saint-Rémy-de-Provence
Eygalières
Uzès
LES ANTIQUES
PROVENCE
Tarascon
Les Baux-de-Provence
MARSEILLE
Cassis
LES ALPILLES
ARLES
NÎMES
Martigues
CAMARGUE
Rhône
Saintes-Maries-de-la-Mer
MER MEDITERRANEE
Kilometers
0 10 20 30
0 5 10 15
Miles

SOMMAIRE

Bleue comme une orange…
la Provence
10

Champs
42

Lavandes et tournesols
60

Fermes
80

Fenêtres
88

Villages
106

Pierres
128

Villes
148

Paysages de terre et de mer
162

Index
179

BLEUE COMME UNE ORANGE...

L'atelier de Cézanne, Aix-en-provence

La maison dans les vignes

Il est six heures du soir et le village est encore abruti de soleil. Vous achetez du rosé de Provence à l'épicerie, qui vend aussi des piscines pour bébés, des fleurs artificielles, des pêches véritables, des chaises longues, des tournevis, des légumes et même *une* robe – on ne sait jamais. Vous caressez le chat qui dort sur la chaise bleue près de la fenêtre bleue, ou parfois sur la pierre brûlante de la fontaine, et vous reprenez le chemin de la colline. Sur l'autre versant, une brume d'or enveloppe les vignes, à perte de vue.

La maison est au bout d'un chemin poussiéreux, perdue dans le chant des cigales – qui ne chantent pas, d'ailleurs, même pas en « vieux grec » comme le pensait Van Gogh : elles stridulent. En plein midi, on ne sait plus si c'est leur clameur qui éblouit, ou la lumière. Maintenant, elles y mettent plus d'ardeur encore, comme pour tenter de ralentir la tombée du jour. Elles rattrapent le temps perdu, elles tiennent à leur courte vie... Trois ans d'existence larvaire et souterraine pour quelques semaines de lumière. Ce que nous connaissons de la cigale, ce tintamarre invisible, c'est le temps des noces. Il débute fin juin et, quand arrive la fin du mois d'août, la cigale épuisée pond ses œufs, se laisse choir au pied de son arbre et meurt, croquée par la fourmi sa voisine. La Fontaine cultivait l'euphémisme : la cigale ne se trouva pas « fort dépourvue quand la bise fut venue » ; en réalité, la pauvre était déjà totalement digérée.

La maison au bout du chemin croule sous les lauriers-roses, les géraniums, les mimosas. Vous pouvez rester des heures, assis sur la pierre chaude du petit mur, à regarder vibrer l'été au-dessus des vignes. Passé la cabane aux trois cyprès, il n'y a plus rien que la transparence du ciel, et la terre ocre, prise de torpeur après la fournaise du jour. Tout est si beau en ce monde, tout est si pur, jusqu'aux montagnes où bientôt va disparaître le soleil, que vous envisagez de venir renaître ici un jour, pour y vivre mille ans.

« Naturellement, vous aimez la Provence. Mais quelle Provence? » (Colette)

Il n'y a pas que la douceur des choses et l'exubérance des fleurs. Il y a aussi des terres de roc et de solitude, érodées par l'hiver, les glaces et l'ouragan. Le Ventoux, justement bien nommé, où pousse un petit pavot venu du Groenland. Au début du siècle, après la parution du premier *Guide touristique au mont Ventoux*, il a vu grimper jusqu'à son sommet des dames vêtues de peaux d'ours venues applaudir à la magie du soleil levant. Le reste du temps, il est le royaume des moutons, qui retournent les cailloux pour trouver un peu d'herbe tendre.

Il y a les fontaines et les fantômes romains, les champs de lavande et les mers de tournesols. Les merveilleux villages envahis par des martiens en short, les barbecues à l'ambre solaire, les galeries d'art-crêperies. Il y a les villes et la foule des festivals. Pétrarque, qui aimait la Provence, détestait Avignon et en parlait, du fond de son XIVe siècle, comme le ferait aujourd'hui un festivalier plus friand de morale que de liesse populaire : « C'est un égout où viennent se réunir toutes les immondices de l'univers. On y méprise Dieu. On y adore l'argent, on y foule aux pieds les lois divines ou humaines. Tout y respire le mensonge, l'air, la terre, les maisons et surtout les chambres à coucher. »

Et puis il y a la mer. « La montagne est ma mère, je déteste la mer, j'en ai horreur », écrit Giono. Pagnol, qui est né à Aubagne et n'est presque jamais monté au-delà, ne connaît pas la Haute-Provence.

Entre le désert des plateaux, la Méditerranée et les lumières du vieux port, entre les champs de tournesols et la lugubre silhouette du château de Sade, entre Colette qui avoue empester l'ail « d'une manière homicide » et Van Gogh qui se coupe l'oreille pour tuer sa douleur – que peut-il y avoir de semblable? Il y a mille et une Provences, dont le seul tissu commun est l'excès – dans les couleurs, les climats, les passions – et l'éblouissement.

Bien sûr, un dicton populaire affirme que les oliviers refusent de pousser au-delà de Nyons. L'olivier étant une indiscutable « preuve » de Provence, on peut dire qu'au nord, elle s'arrête à Nyons. A l'ouest, retenue par le Rhône, elle déborde pourtant sur la Camargue – cette autre planète que les anciens tenaient pour l'antichambre des Ténèbres – et c'est aux Saintes-Maries-de-la-Mer que Van Gogh, découvrant la Méditerranée, lui trouve « une couleur comme les maquereaux ». A l'est, on peut pousser jusqu'à Antibes, où Nicolas de Staël vient peindre et mourir au-dessus des remparts. Mais en dehors de ces repères géographiques subjectifs, chacun trouve la Provence qu'il a rêvée – multipliée par la fulgurance du réel.

« Dans ce pays loti, acheté au mètre, loué à la semaine, ouvert le jour et la nuit, je m'attache surtout à ce qui demeure étrangement dur et imperturbable. » (Colette)

Après avoir tant aimé les soleils voilés de la Manche, Colette a cinquante-trois ans quand elle s'éprend du « bas » de la France et achète une maison à Saint-Tropez. « Je l'ai trouvée au bord d'une route que craignent les automobiles », écrit-elle, apparemment énervée – en 1926 déjà – par l'omniprésence du touriste. « Il roule en auto, et s'arrête pour boire, transpire, reroule et reboit. Il dit : “Ce pays serait ravissant si on n'y avait pas si chaud et si la nourriture était possible." Partout il réclame son bifteck aux pommes, tendre à point, ses œufs au bacon, ses épinards en branches et son café *spécial.* »

A la *Treille muscate*, où Paul Géraldy, Dunoyer de Segonzac et Francis Carco viennent déjeuner sur la terrasse à l'ombre de la glycine, c'est une débauche d'aïoli, de bouillabaisse, de poivrons et d'huile d'olive. C'est le plaisir de vivre avec, les premiers temps, une véhémence semblable à celle des amours débutantes. Colette décrit sa vie à la *Treille muscate* en 1926 et, se relisant quatre ans après, s'en étonne elle-même : « C'est très touchant, ce lyrisme des premières rencontres (...). J'ai parlé d'écheveler des pampres. Echeveler des pampres ! Où avais-je la tête? Les pampres, on les ligote quand il sont verts; secs, on les taille, et court, s'il vous plaît. » Elle rêve aussi d'un jardin provençal qui serait sauvage, désordonné. Mais voilà que son jardinier – « un charmant homme noir qui avait le poil crêpelé » – fait dans le parallélisme impeccable et la géométrie pointilleuse. Elle s'insurge, le résultat a l'air d'un « gril à côtelettes ». Et l'homme crépu lui répond patiemment, dans un style extrêmement châtié : « Eh! le puis-je autrement? Je souhaiterais que nous eussions facile de *chainger* le sens. Déjà l'an passé, vous me fîtes planter des balisiers de contre-manière, et le mois *d'outte* n'en laissa rien. » Il lui explique que c'est le soleil qui commande cet alignement-là. Grâce à Dieu, pour cause de mistral, de gelées intempestives et de survies hasardeuses, la perfection ne sera pas de ce monde et elle l'aura, son jardin « furibond de fleurs ». Finalement, elle se demandera ce qu'il a de particulièrement provençal. Rien : pas de légumes ornementaux, pas de désordre typique. Aucune fleur n'est rare, « mais un ciel privilégié descend jusqu'à elles » et le secret est là.

« Je sais maintenant ce qu'est le jardin provençal : c'est le jardin qui n'a besoin, pour surpasser tous les autres, que de fleurir en Provence. »

« Bref, je crois que la vie ici est quelque chose de plus heureux qu'en maint autre lieu de la terre. » (Vincent Van Gogh)

Van Gogh arrive à Arles en février 1888. Il est venu « voir une autre lumière », un ciel plus clair. Il écrit à son frère Théo des lettres pleines d'enthousiasme et de ferveur. Il est venu chercher le Japon et il l'a trouvé, dans « la limpidité de l'air et les effets de couleur gaie ». D'autres fois, il préfère y reconnaître la Hollande, ou même « l'Afrique pas loin de soi ». Il loue place Lamartine une petite maison jaune aux volets verts et envoie à Théo un croquis de la maison « sous un soleil de soufre, sous un ciel de cobalt pur ». Pour plus de sûreté, il écrit « bleu » dans le ciel noir et blanc de son croquis.

A son premier printemps, il est pris d'une rage de travail, car il veut « faire un verger de Provence d'une gaieté monstre ». A côté d'un autre croquis où l'herbe est « très très verte » et le ciel « très très bleu », il se fait du souci pour la santé neurologique de toutes ces fleurs extravagantes : « Les sacrées plantes fleurissent de façon que certes, elles pourraient attraper une ataxie locomotrice. » (Du grec *ataxia*, désordre.) En revanche, à côté de cette énergie florale, il constate une oisiveté humaine qui le préoccupe énormément. « Ce n'est pas le travailleur franc du nord. Cela semble labourer d'une main gauche et lâche, sans entrain. » Il voit dans cet art de vivre au soleil, cette manière de ne pas s'agiter en vain, « la ruine du midi »...

Signac, qui s'installe à Saint-Tropez en 1892, peint en petites touches bleues, vertes et roses, mais ne voit dans ce pays « que du blanc ». Pour lui, si le nord est *coloré*, le Midi est *lumineux*. Quand Van Gogh passe à Théo ses commandes de couleurs, c'est une orgie de vert Véronèse, blanc de zinc, jaune chrome, outremer, laque géranium, bleu de Prusse, cobalt, vermillon. Et puis il s'inquiète, il ne veut pas ruiner son frère, il peut faire des économies sur le bleu du ciel. « Je puis en cas que tu serais gêné m'en tirer parfaitement sans les bleus chers et le carmin. Un tube de bleu de Prusse fournit comme six outremer ou cobalt et coûte trois fois moins. »

L'été arrive, avec la « très glorieuse forte chaleur ». Vincent y voit le triomphe du jaune, de tous les jaunes possibles. (Nicolas de Staël verra la mer en rouge.) Il travaille en plein midi, en plein soleil, heureux « comme une cigale ». Il peint les meules de foin et les jardins maraîchers de la Crau, oasis reconquises sur un désolant et mystérieux désert de cailloux. Aristote avance que toutes ces pierres sont remontées à la surface du sol à la suite d'un tremblement de terre. Sous la plume d'Eschyle, Zeus serait responsable de cet état de choses : pour soutenir Héraclès contre l'armée des Ligures, il aurait lancé ces rochers du ciel. Ils y sont toujours. Non loin de là, plus sinistre encore, la route de la crête des Alpilles – que Van Gogh s'obstine à appeler les Alpines – traverse le val d'Enfer dans un décor de cataclysme, de rochers éboulés, qui aurait inspiré à Dante, lors de son passage aux Baux, le paysage des neuf cercles de *l'Enfer*. Le village des Baux, accroché au roc, mêlant sa pierre à la falaise dans un mimétisme inquiétant, participe du même chaos. La citadelle, ancienne demeure des comtes de Baux, est éventrée, dévastée, depuis que Louis XIII ordonna sa destruction. Quand Alexandre Dumas y vient, le village est mort. Toutes les portes et fenêtres sont ouvertes mais personne n'habite les maisons. La seule vie qu'il y rencontre, c'est encore de la mort : dans l'église, une petite fille est couchée dans un cercueil et une douzaine de mendiants assistent à cette cérémonie funèbre sans prêtre. Du temps de Van Gogh, il est toujours abandonné, battu par tous les vents. Aujourd'hui, il retrouve sa beauté fantasmagorique en hiver, mais prend l'été des allures de souk, avec restaurants aux tarifs exorbitants et boutiques de souvenirs assorties – souvenirs de quoi, Seigneur? Du temps où les comtes de Baux, forts de leur présumée ascendance wisigothe, balançaient leurs prisonniers du haut des tours?

« Malheureusement, à côté du soleil du bon Dieu, il y a trois quarts du temps le diable mistral. » (Van Gogh)

C'est aux Saintes-Maries-de-la-Mer, en découvrant la Méditerranée, que Van Gogh en arrive au pléonasme total : il veut « *encore outrer* la couleur *davantage* ». Il s'enflamme, il pense que l'avenir de l'art est dans le Midi, il rêve de créer un atelier où d'autres peintres viendraient travailler dans un climat d'amitié, et il invite Gauguin à être le premier de ces amis peintres.

En attendant, il travaille toujours. Il plante son chevalet en plein mistral, il lutte. Plus tard, il se demandera avec une naïveté touchante si les maladresses de Cézanne dans certaines de ses études ne sont pas dues au fait qu'il les a exécutées par fort mistral. « C'est son chevalet qui branle », écrit-il, comme s'il avait découvert le pot aux roses...

Le mistral a déjà mauvaise réputation et ce n'est peut-être pas la peine de lui imputer les éventuelles « maladresses » de Cézanne. Il fait sonner le tocsin, il emporte les moutons comme de vulgaires boules de coton et sème la discorde dans les ménages au point d'être – jadis – considéré comme une circonstance atténuante dans le cas où un mari tue sa femme quand il souffle. D'où vient ce vent furieux? Une légende ancienne parle d'un village du Vivarais, entouré de marais et dominé par un rocher percé. Elle dit que le mistral sortait de ce rocher, jusqu'au jour où les habitants se décidèrent à colmater le trou avec une porte, qu'ils ouvraient de temps en temps pour évacuer les miasmes du marais. Il y a une centaine d'années, les habitants de Morières, près d'Avignon, envoyèrent une délégation pour demander si, par hasard, il n'était pas possible d'ouvrir la porte un peu moins souvent. La légende est parfois tenace...

Quant à madame de Sévigné, qui fait trois séjours à Grignan avant d'y mourir, elle envoie des lettres horrifiées à ses amis, à propos de la neige, de la glace, de ses doigts gourds et de ses écritoires gelées, des fureurs du Rhône (« Trouvez-vous toujours que le Rhône ne soit que de l'eau? » demande-t-elle à madame de Grignan qui a failli être emportée par le fleuve) et, bien sûr, du mistral qu'elle soupçonne d'être tout simplement « le diable ».

Il semble toutefois que, depuis la requête des gens de Morières, le mistral se soit légèrement calmé... Pourtant, Van Gogh continue de trouver à ses études peintes par temps de mistral le même « air hagard » qu'à celles de Cézanne.

Il peint le vieux paysan Patience Escalier, *la Nuit étoilée*, *le Café de l'Alcazar*, où il cherche « à exprimer comme la puissance des ténèbres d'un assommoir. Et toutefois sous une apparence de gaieté japonaise et la bonhomie du *Tartarin* ». Van Gogh adore le *Tartarin* de Daudet. Plus tard, après le départ de Gauguin, il se rongera de tristesse à l'idée que celui-ci n'a peut-être même pas lu *Tartarin sur les Alpes*... Mais pour l'instant, il se lève chaque jour à l'aube pour capter la splendeur éphémère des tournesols. « Avec l'entrain d'un Marseillais mangeant de la bouillabaisse », il met en chantier trois toiles autour de ces fleurs radieuses, de ces astres fous, et projette d'en peindre une douzaine pour les accrocher dans l'atelier où il attend Gauguin « avec une bien grosse émotion ».

« Tu vois que dans le Midi je n'ai pas plus de chance que dans le Nord. C'est partout un peu le même. » (Van Gogh)

Gauguin s'installe dans la maison jaune le 20 octobre 1888. Il n'aime pas Arles, il trouve tout « petit, mesquin, le paysage et les gens ». Il n'aime que les tournesols. « Ça, c'est la fleur », dit-il. Bien que Vincent écrive sans cesse à Théo tout le bien qu'il pense de Gauguin, l'atmosphère se dégrade vite et ils se disputent à propos de tout – de Delacroix, de Monticelli, de la soupe immangeable concoctée par Vincent... Gauguin parle de s'en aller. Le 24 décembre, il montre à Vincent le portrait qu'il a fait de lui en train de peindre les tournesols. Vincent s'y reconnaît, mais « devenu fou ». Le soir, au café, il jette son verre à la tête de Gauguin, qui, cette fois, décide de partir. On connaît la suite, le rasoir, l'oreille coupée. C'est dans un journal arlésien – *le Forum républicain* – que Vincent a son nom imprimé pour la première fois : « Dimanche dernier, à onze heures et demie du soir, le nommé Vincent Van Gogh, artiste peintre, originaire de Hollande, s'est présenté à la maison de tolérance n°1, a demandé la nommée Rachel et lui a remis son oreille en lui disant : "Gardez cet objet précieusement." Puis il a disparu. »

Gauguin s'en va, Van Gogh entre à l'hôpital. Tout n'est pas tout à fait perdu. Ensemble, ils ont peint la nécropole des Alyscamps, dans deux versions sensiblement différentes – l'une d'une sérénité géométrique, la seconde plus tourmentée – malgré le même flamboiement de couleurs automnales. Et puis surtout, Van Gogh achèvera une peinture d'Arlésienne à partir d'un dessin de Gauguin et lui écrira : « C'est une synthèse d'Arlésiennes si vous voulez; comme les synthèses d'Arlésiennes sont rares, prenez cela comme une œuvre de vous et de moi, comme résumé de nos mois de travail ensemble. »

Après plusieurs séjours à l'hôpital, les crises de démence, la « pauvre maison jaune » mise sous scellés, Van Gogh entre en mai 1889 à l'asile de Saint-Rémy-de-

Le mont Ventoux

Provence. En un an passé à « la ménagerie », il va exécuter une centaine de dessins et cent cinquante tableaux. Il s'attaque entre autres aux cyprès, qu'il considère comme « le contraire et pourtant l'équivalent » des tournesols, et dont il aime tant le vert « d'une qualité si distinguée »... Il se hâte de peindre entre les crises, mais s'inquiète de l'allure qu'elles prennent, avec « des idées religieuses embrouillées et atroces » qui ne lui étaient jamais venues dans le Nord. Il est de plus en plus obsédé par le désir de retourner dans le Nord, comme si les couleurs du Sud n'étaient plus que douleurs, comme si le Nord allait le guérir. En février, il peint pour l'enfant nouveau-né de Théo une branche d'amandier en fleurs dans le grand ciel bleu. L'amandier, cet arbre qui fleurit le premier, parfois même sous la neige – la gloire du printemps, le renouveau dans toute sa ferveur. « C'était peut-être ce que j'avais fait le plus patiemment et le mieux, peint avec calme et une sûreté de touche plus grande. Et le lendemain fichu comme une brute. » Une nouvelle crise le terrasse, pendant laquelle, aveugle et sourd au printemps provençal, il peint, de mémoire, ses *Souvenirs du Nord*.

Décidément, il veut partir, même avec « un gros chagrin ». Et, voyant une dernière fois la campagne de Provence rafraîchie par la pluie, il regrette toutes les toiles qu'il n'a pas encore peintes, mais il s'en va.

«Tiens, ton papa, il parle tout seul dans le jardin.
– Non, il ne parle pas tout seul, il cause avec l'olivier. »
(Dialogue de petites filles)

Le papa de la petite fille, c'est Jacques Prévert dans son jardin de Saint-Paul-de-Vence. S'il parle à l'olivier, c'est parce que cet olivier-là lui a « rendu service », dit-il sans épiloguer davantage sur la nature de ce service... La Provence de Prévert – dans les années de guerre, puis dans la paix – est à son image : vivante et généreuse, peuplée d'une foule d'amis, de travaux incessants, de films et de livres, de rêves.

En 1940, Prévert refuse de faire la guerre – il déteste les tueries, légalisées ou non. Réformé, il part vivre à Tourrettes-sur-Loup, dans une maison agrippée à la pente vertigineuse des gorges du Loup, où – luxe rare dans ce décor hallucinant – il prend ses bains dans une baignoire creusée à même le sol, devant la porte. Avec l'aide de Vincent, un jeune aubergiste qui déteste aussi les tueries et se saoûle avec ses cochons avant de les égorger, Prévert cache ses amis juifs menacés des barbaries nazies : parmi eux, le décorateur Alexandre Trauner et le musicien Joseph Kosma, passagers clandestins des grandes aventures cinématographiques de Prévert, dont les noms n'apparaîtront aux génériques qu'après la guerre.

C'est à La Garoupe, près d'Antibes, que vont naître *les Visiteurs du soir*, dont le tournage souffrira de toutes sortes de pénuries. Par exemple, les figurants ont tellement faim qu'ils se jettent sur la pièce de bœuf du festin sans laisser le temps à Carné de tourner tous les plans prévus... Un an plus tard, réunie dans une maison près de Vence, toute l'équipe met sur pieds *les Enfants du paradis.* Personne ne soupçonne encore que ce film va devenir un monument du cinéma français, mais le cœur y est. Kosma compose la musique au fur et à mesure que Prévert écrit l'histoire, Trauner dessine les décors et Mayo les costumes, tandis que les futurs acteurs, Arletty, Pierre Brasseur et Jean-Louis Barrault, viennent leur rendre visite de temps en temps.

> « On m'appelle Garance.
> – Garance... C'est joli...
> – C'est le nom d'une fleur.
> – Une fleur rouge, comme vos lèvres. »
> (Prévert – *Les Enfants du paradis*)

Pas du tout. Si Arletty est une inoubliable fleur de liberté, la garance n'est pas une fleur rouge. C'est une plante importée de Smyrne au XVIIIe siècle et longtemps cultivée dans le Vaucluse pour les vertus colorantes de sa racine : les pauvres soldats partiront à la guerre affublés de pantalons garance (rouge vif), jusqu'à ce qu'on s'aperçoive que cette couleur pimpante n'est pas un idéal de camouflage... Mais Prévert est un poète, et dans la bouche d'Arletty, la garance restera éternellement une fleur rouge.

C'est à Nice, aux studios de la Victorine, qu'on bâtit en plein air l'énorme décor du Boulevard du Crime. Le tournage, commencé en août 1943 avec, pour certaines scènes, jusqu'à 1 800 figurants, sera interrompu plusieurs fois – entre autres à l'annonce d'un débarquement allié qui n'aura jamais lieu – et les décors gravement endommagés. Le film sortira enfin en mars 1945.

La guerre finie, Prévert retrouve sa vie parisienne. C'est un accident stupide qui le renvoie dans le Midi. En octobre 1948, venu parler à la Radiodiffusion française, il passe à travers une baie vitrée et s'effondre du premier étage sur le trottoir des Champs-Elysées. Après un coma prolongé, il part en convalescence à Saint-Paul-de-Vence avec sa femme, sa petite fille et, comme toujours, toute une tribu d'amis nomades. Yves Montand et Simone Signoret viennent fêter leur mariage, dont il est le témoin. Chagall vit tout près, à Vence. Braque, Picasso, Miró passent souvent par là. Marcel Duhamel, directeur de la Série noire (d'ailleurs baptisée par Prévert), habite sur les remparts d'Antibes. Et ce joyeux remue-ménage ne donne pas une convalescence très reposante, même si elle dure finalement plusieurs années...

Tandis que sa chanson *les Feuilles mortes*, enregistrée aux Etats-Unis sous le titre *Autumn leaves*, fait le tour du monde, Prévert retrouve Paris en 1955 et s'installe à Montmartre, mais il revient toujours passer l'été à Antibes. C'est là qu'Audiberti, suivant l'exemple ancien de Démosthène, arpente la plage en récitant des vers, la bouche pleine de cailloux. Antibes n'a sûrement pas oublié non plus la silhouette légendaire de Prévert qui, dès l'aube, promène son chien sur le port, discute avec la marchande de poissons, avec Giordano le violoniste des rues, ou avec le fromager qu'il encourage si énergiquement à devenir poète qu'il deviendra poète. Il emmène Chagall et Mouloudji chez son antiquaire préféré et sillonne joyeusement la Côte d'Azur avec son grand ami Picasso. Ensemble, ils signent un livre qui s'appelle *Diurnes* « parce qu'on en a marre des Nocturnes » dit Prévert. Puis il expose ses collages dans le château Grimaldi d'Antibes, dont le premier étage abrite déjà les peintures de Picasso. En 1968, tout en sympathisant avec les étudiants de mai, il publie *Arbres*, où il dit son amour pour ces créatures qu'il voit flamber chaque été. « Tout seul un olivier jette désespérément vers le ciel calciné deux bras carbonisés comme un nègre lynché. » Tout ce qui lutte pour vivre, il le prend au sérieux, et il sait qu'un olivier, « c'est quelqu'un ».

« La bête souple du feu a bondi d'entre les bruyères comme sonnaient les coups de trois heures du matin. » (Jean Giono)

Ainsi débute le terrible incendie de *Colline*, contre lequel vont s'unir les habitants des Bastides blanches, « un débris de hameau » perdu entre la plaine et les monts de Lure.

Giono est né à Manosque en 1885 et il y mourra en 1970. C'est un montagnard, un homme des terres sauvages, des villages venteux et des chênes séculaires. Il n'est pas particulièrement fou de soleil. Ce qu'il aime, c'est la Provence la plus noire, la plus violente, et la fin du jour. « Alors – mais seulement si nous sommes sages – nous marcherons posément vers les fontaines dans l'ombre profonde de la nuit. » Son pays nomade part de la Durance et s'arrête au Ventoux. Pas par esprit de clocher – d'autant plus que, pour lui, ce pays n'est qu'intérieur : « Il n'y a pas de Provence. Qui l'aime aime le monde ou n'aime rien ». Et s'il avait pu choisir, il aurait aimé vivre en Ecosse, sous la pluie… Simplement, il est né là, et il cherche dans ses collines ce qu'il aurait cherché partout ailleurs : un univers accordé à l'homme, la sensualité et la « rondeur des jours ». On peut tout de même penser que la beauté terrible de la Provence s'ajuste parfaitement à son rêve, et que cette sensualité-là, il ne l'aurait pas trouvée en Ecosse : « Nous sommes le monde. J'étais contre la terre de tout mon ventre, de toute la paume de mes mains. Le ciel pesait sur mon dos, touchait les oiseaux qui touchaient les arbres. »

Inutile de dire qu'un tel élan, une exigence si haute, s'accommodent très mal d'une côte « où on débite l'azur comme un thon ». Ça le révulse, ce « foutoir en plein air », ce pays racoleur qui se laisse traverser sans broncher par « le fleuve de Parisiens, de Belges, d'Anglais et d'Esquimaux » en route vers la Méditerranée. Là non plus, il ne s'agit pas de morale ni de vertu – ses livres sont pleins de curés défroqués, de brigands, de putes et de déserteurs – mais d'esthétique intime. Il aime « le vrai pays », fier et secret, celui qui ne se vend pas.

Quand on visite le château d'If, on nous montre les « authentiques » cachots du comte de Monte-Cristo et de l'abbé Faria, prisonniers imaginaires. Giono, lui, est vraiment incarcéré en 1939 au fort Saint-Nicolas, sur le Vieux-Port, pour avoir, comme Prévert, refusé la guerre. Curieusement, il écrira avoir passé là quelques-unes des plus belles heures de sa vie et fera de Marseille une ville mirage : « Pour les gens de Manosque, Marseille est une sorte de Moscou. (...) Il y a chaque soir, au-dessus de chaque lit, dès que la lampe est éteinte, une sorte de brouillard dans lequel apparaît une ville d'or. (...) C'est Marseille. » Il faut dire qu'il est devenu « marin » depuis qu'il a cotraduit *Moby Dick*, ajoutant la baleine blanche de Melville à ses hantises personnelles. La montagne était un abîme, la mer en est un aussi. Elle ne sera jamais cette agréable chose bleue bordée « de kilomètres de femmes à poil en train de sécher ». Et Marseille ne sera jamais la patrie de la pétanque, de la bouillabaisse et autres « fans de chichourle ».

« Et des coquillages, mon ami, des bouillabaisses, une nourriture du tonnerre de Dieu qui me souffle du feu dans le corps... »
(Lettre d'Emile Zola à Gustave Flaubert)

Ils sont tous venus à Marseille, ils ont tous leur mot à dire sur cet étincelant melting-pot de couleurs, de races, et de parfums, sur ce Vieux-Port où tous les rougets et rascasses de Méditerranée, déchargés des barques bleues, viennent mourir dans des cageots. Chateaubriand y reconnaît Constantinople et Flaubert une sorte d'Alexandrie, « un capharnaüm, un babel de toutes les nations ». George Sand voit dans le port la même eau sale que dans sa *Mare au diable* berrichonne, mais elle finira par succomber au charme des autochtones : « On s'y fait pourtant, car le fond de ses habitants est bon. » Chopin, sans doute par osmose amoureuse, écrit : « Marseille est laid, c'est une ville vieille mais non ancienne, elle nous ennuie. » Lamartine y trouve « un pays de générosité, de cœur et de poésie d'âme ». Une fois n'est pas coutume, madame de Sévigné se déclare « ravie de la beauté singulière de cette ville », mais, encore une fois accablée par les caprices de la météo, retombe dans son humeur habituelle : « Il fait un temps de diantre. Nous ne verrons ni mer ni galère ni forts. » Plus tard, à Paris, elle se rappelera avec émotion « le joli tourbillon de Marseille »...

Ce tourbillon est concentré à l'extrême sur l'affiche exécutée par Dubout pour la sortie du *Fanny* de Marcel Pagnol (et Marc Allégret). Tout le folklore marseillais est là, sur le port : joueurs de pétanque et supporters, marchands de poissons, réclames pour le pastis et les magasins Magali – le tout empaqueté dans un agglomérat inextricable de joyeux drilles : c'est la castagne universelle, joviale et bariolée, terriblement bruyante pour une affiche... Quand on songe que Pagnol et Giono, au zénith de leur carrière, ont « presque » travaillé ensemble, on n'est pas étonné d'apprendre que leurs relations furent tour à tour affectueuses et extrêmement tendues. En 1933, Pagnol réalise un court-métrage, *Jofroy*, à partir d'une nouvelle de Giono, qui se sent « annexé, dévoré et transformé », puis revient à de meilleurs sentiments : en effet, les deux paysans qui lui avaient inspiré l'aventure se sont parfaitement reconnus à l'écran ! En 1934, Pagnol tire son film *Angèle* du roman de Giono, *Un de Beaumugnes.* Encore une fois, l'écrivain apprécie modérément de se voir « pagnolisé ». En 1937, Pagnol réalise *Regain* à partir de *Jean le Bleu* et Giono, réconcilié, se passionne pour cette entreprise folle qui consiste à reconstituer sur les Barres-de-Saint-Esprit le village en ruine d'Aubignane : « Il s'agissait de construire des ruines. A mesure que le mur s'établissait entre les mains des maçons, il vieillissait entre leurs mains, il vieillissait dans leur tête. » Il trouvera pourtant le résultat final « essoufflé, boursouflé et adipeux »... Comme Pagnol réitère l'exploit avec *la Femme du boulanger*, film également adapté de *Jean le Bleu* et salué comme un chef-d'œuvre, Giono lui intente un procès. Chacun reproche à l'autre de ne pas avoir respecté le contrat, et chacun gagne et perd – à moitié. Mais Pagnol ne tournera plus jamais de films d'après Giono. Et pourtant...

«Alors commença la féerie et je sentis naître un amour qui devait durer toute ma vie. » (Marcel Pagnol)

Pagnol, ce n'est pas seulement Marius, Fanny, Raimu, César, Panisse, Escartefigue et « tu me fends le cœur ». Il a toutes les raisons d'aimer les paysans et les collines de Giono, car lui aussi est un montagnard : il est né à Aubagne, « sous le Garlaban couronné de chèvres », dans les roches et les broussailles, à quelques kilomètres seulement de la Canebière, malgré le changement radical de décor. Sa famille est provençale depuis des siècles et son grand-père, établi à Valréas puis à Marseille, est tailleur de pierres – un artiste qui, à ses rares heures de liberté, emmène tout son monde pique-niquer à l'ombre du pont du Gard. Pendant que les autres s'amusent, il escalade les tabliers du pont, examine ses joints, caresse sa pierre. Ensuite, assis dans l'herbe, il le contemple jusqu'au soir. « C'est pourquoi, trente ans plus tard, ses fils et ses filles, au seul nom du pont du Gard, levaient les yeux au ciel et poussaient de longs gémissements. »

D'Aubagne, il passe à Saint-Loup, un village de la banlieue marseillaise, puis à Marseille même. Mais madame Pagnol a besoin d'air pur et Joseph Pagnol – le père – annonce un jour la bonne nouvelle : ils iront passer les grandes vacances dans une villa sur les collines, « au bord d'un désert de garrigue ». Nous sommes en avril, il faut attendre juillet et le petit Marcel, qui a neuf ans, se répète inlassablement les mots miracles : villa, pinèdes, cigales... Des cigales, il en a bien aperçu quelques-unes dans les « platanes scolaires », mais son père lui en promet des milliers!

Le grand jour arrive enfin. Tandis que les meubles voyagent empilés sur une charrette, la famille part pour sa terre promise, en tramway d'abord, puis marchant pendant des heures sous un soleil de plomb, grimpant, contournant, escaladant jusqu'à l'épuisement, pour une promenade certes « un peu longue », mais « hygiénique », dit le père. C'est là, après le dernier village, les derniers lacets du chemin, devant l'immensité des pinèdes venues « mourir comme des vagues au pied de trois sommets rocheux », que le petit Pagnol découvre son monde de liberté, de féerie et de tendresse. C'est là aussi qu'il reviendra construire son Aubignane en ruines pour *Regain*. Et c'est peut-être en souvenir de cette dernière quinzaine de juillet où, dans la torpeur estivale et l'attente des grandes vacances, le maître d'école lui lisait Alphonse Daudet, qu'il tournera en 1954 *les Lettres de mon moulin*, son dernier film.

« Une ruine, ce moulin ; un débris croulant de pierre, de fer et de vieilles planches, qu'on n'avait pas mis au vent depuis des années et qui gisait, les membres rompus, inutile comme un poète. » (Alphonse Daudet)

Le moulin qui craque dans la tramontane remue chez Daudet des souvenirs de mer, de phares et d'îles lointaines. Comblé dans son « goût de désert et de sauvagerie », il passe là des journées entières, avec le vieux chien Miracle, un épagneul sauvé du naufrage, trouvé sur une épave par des pêcheurs. Il a même envie d'acheter ce moulin et se rend chez le notaire de Fontvielle, mais l'acte de vente restera à l'état de projet. Peut-être parce que le jour où il emmène sa femme là-haut, « la tramontane, voyant venir cette Parisienne ennemie du soleil et du vent, s'amusait à la chiffonner, à la rouler »... Et peut-être que la toute nouvelle madame Daudet n'aimait pas être chiffonnée ni roulée. Quoi qu'il en soit, le joli moulin tout propre – et non la « ruine » évoquée – qu'on nous vend pour celui de Daudet n'a jamais été son moulin. Mais c'est bien là qu'il vient l'hiver se « guérir de Paris et de ses fièvres », même s'il retourne écrire ses *Lettres* à Paris. Il va aussi chasser en Camargue, et retrouve ses amis poètes aux Alyscamps, « parmi les sarcophages de pierre grise », ou encore au village des Baux qui n'est qu'un « amas poudreux de ruines ». Et aussi dans l'île de la Barthelasse, face aux remparts d'Avignon. Tout le monde boit du vin des papes et tout le monde danse, mais pas sur le pont car il est brisé depuis longtemps.

Avez-vous déjà entendu la véridique histoire du pont d'Avignon? C'est un enfant de douze ans qui l'a construit! En l'an 1177 – un jour d'éclipse solaire, à ce qu'il paraît – la voix divine s'adresse à un jeune berger nommé Bénezet et lui demande de jeter un pont sur le Rhône. L'enfant proteste : il ne connaît rien aux ponts ni aux fleuves, et celui-ci est particulièrement furieux. Mais la voix insiste et l'enfant va voir l'évêque, qui se moque de lui et l'envoie au prévôt qui se moque de lui aussi : si nul architecte n'a jamais réussi, comment va-t-il s'y prendre? Là, les témoignages ont tendance à diverger, mais le résumé de l'action, c'est que la foi soulève les montagnes : le jeune Bénezet soulève donc sans effort une énorme pierre normalement impossible à bouger, même par trente hommes, et la pose au bord du fleuve, à l'endroit où va s'élever la première arche. L'assemblée est saisie d'admiration et le prévôt donne trois cents sous à Bénezet pour acheter d'autres pierres et payer la main d'œuvre. On dit que le pont fut achevé en 1185, on dit aussi que Bénezet mourut en 1184, à l'âge de dix-neuf ans. En tout cas, le pont est rompu en 1226, reconstruit en 1237 et définitivement coupé par les assauts furieux d'une banquise pendant l'hiver 1670.

Donc, après ce qu'il appelle ses « escapades lyriques », Daudet retourne au silence de son moulin et rêve du livre où il mettra plus tard le souvenir de ces chants, de ces rires, du soleil et du parfum des collines. Et *Les Lettres de mon moulin* restera son livre préféré, non du point de vue littéraire, mais parce qu'il lui rappelera toujours les plus belles heures de sa jeunesse. Et depuis, le moulin « vire dans le soleil, poète remis au vent, rêveur retourné à la vie », pour toujours.

« Si jamais tu viens en Provence, nos ménagers te parleront souvent de "la cabro de moussu Seguin, que se battégué touto la nevi emé lou loup, e piei lou matin lou loup la mangé." »* (Alphonse Daudet)

En version française : « la chèvre de monsieur Seguin, qui se battit toute la nuit avec le loup, et puis le matin le loup la mangea ». Enfant, j'ai détesté l'idée même de la Provence

*Ménager : fermier

Le moulin d'Alphonse Daudet, près d'Arles

– tout ce thym, ce serpolet et ces moulins à vent – à cause de cette fin horrible qui me gâchait la vie. Evidemment, j'aurais dû me méfier, l'histoire commence mal : monsieur Seguin a déjà perdu six chèvres. Elles s'ennuient dans leur clos, cassent leur corde et partent dans la montagne se faire manger par le loup. Mais la septième, la Blanquette, c'est un tel amour de petite chèvre qu'on se prend à espérer le happy end... Bien sûr, elle s'enfuit aussi, et là-haut dans la montagne, Daudet nous offre un festival de joie pure : l'herbe tendre, les parfums, les genêts d'or, les torrents d'eau claire, le bon soleil, la liberté, l'amour – en la personne d'un jeune chamois tout noir... A gambader partout, la Blanquette se multiplie de bonheur : « On aurait dit qu'il y avait dix chèvres de monsieur Seguin dans la montagne. » Mais le soir tombe, la petite chèvre s'étonne et notre espoir faiblit. Elle voit disparaître dans le brouillard la maison de monsieur Seguin, elle entend les clochettes d'un troupeau qui rentre et, pour la première fois, elle pense au loup. Comme prévu, le loup arrive et la bouffe, et je n'ai jamais accepté cette fin – l'antithèse de tous les contes de fées – ni « sa belle fourrure blanche toute tachée de sang », ni cette soif de liberté sadiquement anéantie par Alphonse Daudet.

« En quel état est-il, ce château? et mon pauvre parc, y reconnaît-t-on encore quelque chose de moi? » (Donatien Alphonse François de Sade, dit marquis de Sade)

Tout est relatif, et si « sadisme » il y a, c'est dans les ruines du château de Lacoste qu'il faut en chercher le souvenir. Donatien de Sade a 23 ans quand il vient pour la première fois dans ce village au pied du Lubéron. Il en a 37 quand il est incarcéré à Vincennes. Entre-temps, lors de ses nombreux séjours à Lacoste (La Coste en ce temps-là), il aura modernisé le château et donné beaucoup trop de fêtes, puis il s'y sera terré, sans pour autant renoncer à son insatiable vie de patachon. Sade n'est pas Gilles de Rais, ni la personnalité « monstrueuse d'horreur et d'infamie » que décrit la *Revue aptésienne* en 1835, ni le « fou épouvantable » dont parle Michelet. D'après les villageois, il serait plutôt « un fameux pistachié » – un sacré paillard. (Malgré tout, cette indulgence locale est surtout due au fait que Sade a la sagesse de se ravitailler en filles et garçons assez loin du village...) La mode d'alors est au théâtre et tout château doit avoir une « salle de comédie ». Sade en fait construire une de cent mètres carrés, recrute des troupes entières, donne des bals et des soupers, se couvre de dettes. Bien sûr, le théâtre déborde sur d'autres plaisirs moins littéraires et, utilisant entre autres ses servantes et secrétaires à des fins de jouissances interdites – la sodomie est punie de mort –, Sade finit par s'attirer les foudres de la justice. Même s'il n'est pas, et de loin, le seul « débauché » de l'époque, la rumeur déforme et amplifie ses frasques jusqu'à faire de lui un assassin – à tort et absurdement puisque personne n'est mort... Arrêté, il s'enfuit. De nouveau arrêté, il s'échappe encore et croit trouver une dernière fois refuge à La Coste. Mais il est pour de bon incarcéré à Vincennes, et ne reviendra à La Coste que vingt ans plus tard. Le château, pillé puis vendu, abandonné, battu par le mistral et la pluie, deviendra peu à peu cette ruine qui domine encore le charmant village et le café de Sade.

(Grâce à son dernier acquéreur, qui le restaure avec une certaine délicatesse et protège le site en achetant le terrain alentour, il est sauvé des éventuelles lubies de promoteurs.) Il est toujours debout, dressé dans les pierres éboulées et les ronces, à demi vivant, à demi perdu dans la nuit des temps. Si André Breton y vint en pèlerinage, il arrive que des touristes peu informés prennent Sade pour leur contemporain et s'inquiètent de savoir s'il vient parfois surveiller les travaux! Et si le château n'apparaît pas dans ce livre, c'est que ce lambeau de cauchemar s'accommode moins bien de la photo couleur que du noir et blanc – très noir, très blanc – cher à Murnau et Nosferatu.

Non loin de là, les maisons, la terre et les falaises se fondent dans une même fantasmagorie sanguine. Les carrières d'ocre de Roussillon, sculptées par la pluie et le vent, semblent baigner dans un coucher de soleil sans fin, même à l'ombre, même la nuit. En réalité, si le paysage passe ici par toutes les nuances possibles de l'ocre, du rouge et de l'or, c'est qu'il se souvient du sang de Sirmonde : Raymond et Sirmonde d'Avignon vivaient là, et comme Raymond passait ses jours à la chasse, il demanda à son page de tenir compagnie à Sirmonde qui s'ennuyait. Bien sûr, le page lui tint si tendrement compagnie qu'il en vint à l'aimer. Fou de rage, Raymond trucida le page et, au cours d'un banquet, obligea Sirmonde à manger son coeur. La pauvre se jeta du haut de la falaise, s'écrasa sur les rochers, et la légende dit que le sang de Sirmonde donne à la terre cette couleur de crépuscule éternel.

« Un certain accord de couleurs non liées à la réalité exprime la relation de son moi à l'univers. » (Georges Braque)

En 1870, Cézanne, recherché par la gendarmerie pour cause de mobilisation, se réfugie à l'Estaque, au cœur de ces rocs nus et de ces landes sauvages où a grandi son ami Emile Zola, qui en gardera toujours un souvenir ébloui : « Les terres rouges saignent, les pins ont des reflets d'émeraude, les rochers laissent éclater des blancheurs de linges fraîchement lessivés. » C'est là que Cézanne, découvrant « l'effrayant » soleil

Le mont Ventoux

sur les toits rouges, les collines et la mer, écrit à Pissarro : « Il me semble que les objets s'enlèvent en silhouette non pas seulement en blanc et noir, mais en bleu, en rouge, en brun, en violet. Je puis me tromper, mais il me semble que c'est l'antipode du modelé. » Découverte capitale, non seulement pour Cézanne qui va tenter de rendre par le seul rythme des couleurs les effets de cette lumière perpétuellement mouvante sur la permanence des objets, mais pour tous les peintres qui vont marcher sur les traces du « maître d'Aix ».

Né à Aix-en-Provence, où il devient l'ami de Zola sur les bancs du collège, Cézanne abandonne ses études de droit pour monter à Paris mais, provençal de cœur, il cultive obstinément son accent du Sud et revient toujours à « ce vieux sol natal si vibrant, si âpre », peindre les villages perchés, les troncs tordus des oliviers et, bien sûr, cette Sainte-Victoire dont il s'acharne à transfigurer la géométrie secrète... Ce qu'il cherche, et qui va largement infléchir l'histoire de la peinture, c'est une « harmonie parallèle à la nature », plus profondément fidèle à cette nature dans la sensation éprouvée que dans un quelconque réalisme.

En 1882, Renoir, qui a connu Cézanne à Paris et entretient avec lui des relations fraternelles, le retrouve à l'Estaque. Quelques années plus tard, ils peignent ensemble aux environs d'Aix. Puis Renoir se fixe définitivement à Cagnes-sur-Mer, dans une maison toute simple en contrebas de la colline, qui domine d'un côté la vieille ville – un labyrinthe de cours et de ruelles qui s'ordonne à la verticale – et de l'autre côté, entre les palmiers et les lauriers-roses, la mer. (La Marina n'est pas encore là pour vous gâcher l'horizon.) « Dans ce pays merveilleux, il semble que le malheur ne peut pas vous atteindre », dit-il. Pourtant, il faudra bientôt attacher son pinceau entre ses doigts déformés par la maladie et le porter d'un endroit à un autre, tandis qu'il continuera de peindre, avec une formidable joie de vivre, les fleurs et les oliviers de son jardin, la chair épanouie des femmes et les joues roses des enfants.

A la suite de Cézanne, c'est toute une nuée d'artistes qui vient au début de ce siècle chercher dans la fulgurante ardeur provençale le renouveau de la peinture. Matisse, Dufy, Braque, Derain, Chagall, Picasso et, plus tard, Nicolas de Staël – ils viennent tous travailler là, ensemble ou dans la plus grande solitude, refaire le monde et confronter leurs visions de ce monde, quitte à diverger parfois sur les résultats obtenus...

Matisse vient passer l'été 1904 dans la villa La Hune, que Signac a achetée à Saint-Tropez. Il peint la baie, les oliviers et les pins mais il ne peint pas pointilliste et ce manquement agace Signac. Matisse en est, paraît-il, si perturbé, qu'il exécute au cours d'une promenade *le Goûter*, l'une de ses premières études pour le très pointilliste *Luxe, calme et volupté*... Signac, satisfait cette fois, achètera la toile l'année suivante.

Au printemps 1905, Marquet, surtout attiré par la bouillabaisse et les petites femmes de la rue Pavé d'Amour, quitte Paris pour Marseille, puis Saint-Tropez. « Sous ces tropiques françaises, écrit-il, nous devenons des gens tropicaux. » Mais apparemment, le temps se gâte, il s'en plaint, et Signac semble encore une fois décontenancé : « Je ne peux vraiment pas comprendre la corrélation entre l'art et le baromètre, écrit-il à Matisse (...). A mon avis, il est futile et dangereux de se battre ainsi avec la nature. » Mais le soleil revient et Marquet célèbre dignement le 14-juillet en dansant la farandole avec Signac et madame Signac.

Derain, qui descend d'abord travailler avec Matisse à Collioure, passe ensuite ses étés à l'Estaque, Cassis et Martigues, où il découvre « une nouvelle conception de la lumière qui consiste en ceci : la négation de l'ombre ». Après avoir attiré son ami Vlaminck à Martigues, il lui reprochera de s'obstiner à voir le Sud avec des yeux nordistes : « Pour peindre le Midi, tu attends qu'il ressemble à Chatou. »

Picasso retrouve à Antibes ses hantises mythologiques : « C'est étrange, à Paris je ne dessine jamais de faunes, de centaures ou de héros mythologiques... On dirait qu'ils ne vivent qu'ici... Chaque fois que j'arrive à Antibes, je suis repris par cette antiquité. »

Braque peint des oliviers, Derain des cyprès et des bateaux de pêcheurs, Matisse et Dufy des fenêtres ouvertes sur la mer, et presque tous peignent l'Estaque. Peu importe le sujet précis, d'ailleurs. Depuis Van Gogh, qui avait raison de penser que le Midi pouvait engendrer « le peintre de l'avenir, un coloriste comme il n'y en a pas encore eu », ils se battent tous avec cette lumière éblouie, génératrice de couleurs intérieures plus vibrantes encore que le réel. Les uns vont y atteindre leur sagesse, leur plus grand équilibre, quand d'autres vont y exacerber sans espoir de retour leur douleur hallucinée.

« La couleur est le lieu où notre cerveau et l'univers se rencontrent. »
(Cézanne)

Le premier explorateur de cette Méditerranée picturale, c'est Signac. Navigateur passionné, il descend le canal du Midi sur *l'Olympia* au printemps 1892 et découvre Saint-Tropez, « la huitième merveille du monde », petit port de pêche alors seulement accessible par la mer. Du temps de Colette, une seule route y mène et s'arrête là. « Si vous voulez repartir, il vous faut rebrousser chemin. Mais voudrez-vous repartir? » Lorsque Françoise Sagan découvre à son tour le village, au bout d'une Nationale 7 très chaotique, il est encore cette oasis merveilleuse où, de la terrasse de l'Escale – l'unique café – elle regarde les vieilles dames tricoter et les pêcheurs décharger leur poissons.

« Ce sera le seul été où l'on verra des gens travailler », écrit-elle. Ensuite, Vadim vient tourner *Et Dieu créa la femme* et Brigitte Bardot achète la Madrague. Depuis, si on veut encore aimer Saint-Tropez, il faut y descendre au printemps, en hiver, en automne, à l'aube, ou en rêve...

Bonnard vient aussi chez Signac, et lui qui connaît pourtant l'Espagne, l'Algérie et la Tunisie, semble y découvrir la Méditerranée : « J'ai eu mon coup des Mille et une Nuits : la mer, les murs jaunes, les reflets aussi colorés que les lumières »... Il y revient chaque année, jusqu'au jour où il s'installe définitivement dans sa maison rose et blanche du Cannet, d'où l'on voit la mer et la chaîne de l'Esterel, ancien repaire de bandits qui a pour marraine l'antipathique fée Esterelle, décrite par Mistral comme une « âpre ennemie de l'homme, hantant les lieux incultes, se couronnant d'orties ».

A parcourir les agendas que Bonnard portait toujours sur lui et qui concernent les années 1925 à 1946, il est à la fois facile d'imaginer sa vie et difficile de tenter une reconstitution des événements, même vague... On sait qu'il doit acheter de la cire, du fromage, des chaussons, du miel. On sait surtout le temps qu'il fait quotidiennement, dans toutes ses nuances : beau, nuageux, beau brumeux, beau froid, beau frais, pluie et soleil. « Cela me rappelle la lumière, dit-il, et me suffit pour évoquer tout le déroulement d'une journée. » (Cette mémorisation des choses est sensiblement différente de celle de Cocteau, qui note dans son journal le 21 juin 1953 : « Hier déjeuner à Juan-les-Pins avec les Picasso, les Braque, les Yves Montand. Remonté à Vallauris avec les Braque. ») Un dimanche de brouillard lui inspire une pensée désabusée : « A l'instant où l'on dit qu'on est heureux on ne l'est plus ». Un jeudi de septembre, il dessine une chèvre aux oreilles très horizontales et un lapin aux oreilles très verticales, et souvent, c'est une femme – toujours la même, sa femme Marthe – qu'on voit à une table avec un chat, dans une baignoire ou cueillant des fleurs. Il échange avec Matisse des lettres prosaïques, où il est question de leurs coups de froid respectifs et de leurs difficultés d'approvisionnement en pleine guerre. Et toujours, les choses graves sont évoquées avec une pudeur qui confine à l'absence. Tout ce qu'on sait du 3 septembre 1939, jour historique où éclate la Seconde Guerre mondiale, c'est que le climat est « pluvieux ». Et le lundi où meurt sa très chère Marthe, il trace une petite croix qui ressemble au signe *plus* des additions et gribouille « beau » au-dessus. Il dessine des arbres et des bateaux, des visages, des nus, des vagues, et note un jour de février : « Violet dans les gris. Vermillon dans les ombres orangées, par un jour froid de beau temps. » Et lui qui, à travers la couleur, cherche à transcrire la lumière et pense ne pas y arriver, écrit un an avant sa mort : « C'est toujours de la couleur. Ce n'est pas encore de la lumière. »

« J'ai conscience de m'exprimer par la lumière ou bien dans la lumière, qui me semble comme un bloc de cristal dans lequel il se passe quelque chose. » (Matisse)

Quand Bonnard lui écrit, Matisse vit à Nice, puis à Vence, dans une villa baptisée Le Rêve – une maison rose aux volets verts entourée d'un jardin en bataille où Cartier-Bresson viendra immortaliser sa volière aux oiseaux. L'intérieur, envahi de plantes exubérantes, de bouquets de fleurs et de tissus du Pacifique, ressemble furieusement à un tableau de Matisse... Et cet homme du Nord envoûté par le Sud accorde sa peinture à ce que la lumière du Midi peut offrir d'harmonieuse volupté. « J'ai toujours souhaité que mes œuvres aient la légèreté et la gaieté du printemps qui ne laisse jamais soupçonner le travail qu'il a coûté. » Oui, le printemps, c'est tout un travail obscur de la sève et de l'hiver, et le charme de cette *Femme assise le dos tourné à la fenêtre*, cette respiration heureuse de la mer – « Ce Matisse, il a de si bons poumons », disait Picasso – c'est tout un travail aussi...

La chapelle du Rosaire de Matisse. Vence

Et Matisse, qui n'aimait guère les églises, finit par en dessiner une tout entière – la chapelle du Rosaire de Vence – avec ses céramiques, sa Vierge à l'Enfant et ses vitraux bleus-jaunes-verts. Et quand il n'arrive plus à tenir ses pinceaux, dans sa chambre de l'hôtel Regina à Nice, il se met à « sculpter » la sensualité en petits morceaux de gouaches découpées que Nicolas de Staël admirait tant : « Il n'y a que deux choses valables en art. 1° la fulgurance de l'autorité, 2° la fulgurance de l'hésitation. C'est tout. L'un est fait de l'autre, mais au sommet les deux se distinguent très clairement. Matisse à 84 ans arrive à tenir la fulgurance même avec des bouts de papier. » Dans son fauteuil roulant, le parquet autour de lui jonché de chutes de papier, il découpe avec ses grands ciseaux des femmes, des fleurs, des oiseaux et des vagues.

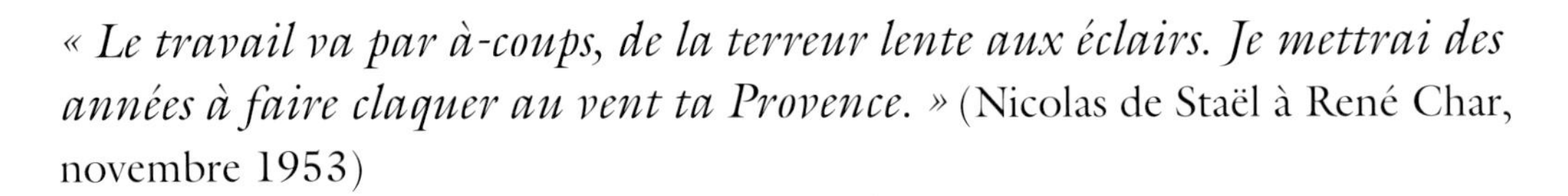

« Le travail va par à-coups, de la terreur lente aux éclairs. Je mettrai des années à faire claquer au vent ta Provence. » (Nicolas de Staël à René Char, novembre 1953)

Il n'a pas mis des années, il n'a pas eu le temps... Installé à Antibes en septembre 1954, il se suicide en mars 1955, à l'âge de quarante et un ans.

Comme Bonnard, il a beaucoup voyagé dans les pays de soleil, mais c'est en Provence, au Lavandou, qu'il semble lui aussi découvrir *sa* lumière. Dès son premier séjour, il écrit à Jacques Dubourg, son marchand de tableaux : « La lumière est tout simplement fulgurante ici... La couleur est littéralement dévorée. A force de flamber sa rétine sur le *cassé-bleu* comme dit Char, on finit par voir la mer en rouge et le sable violet. » Cette vision, il en reparle dans une lettre à René Char, avec un soupçon d'ironie vite balayé par la même exaltation : « Cela revient à la carte postale de bazar mais ce bazar-là et cette carte je veux bien m'en imprégner jusqu'au jour de ma mort. Sans blague c'est unique René, il y a tout là. Après on est différent. » Bien loin des harmonies sombres de ses débuts, il va peindre la mer écarlate de Martigues sous un ciel orange, et une autre mer orange sous un ciel noir, et encore une mer rouge sous un ciel violet, et aussi le bleu parfait du ciel qui déteint sur la terre de Ménerbes, où il achète en novembre 1953 une maison fortifiée à la proue du village.

« *J'ai des difficultés avec les mouettes au ras de l'eau.* » (Nicolas de Staël)

A partir de là, tout va très vite. Entre différents voyages et expositions, il dessine beaucoup à Marseille et Martigues au printemps 1954. Son fils naît en avril et pourtant, il quitte à la fin de l'été Ménerbes pour Antibes, où il loue un atelier sur les remparts. De la terrasse ouverte sur la mer, il voit le Fort-Carré, qu'il va peindre dans toutes les nuances d'un bleu nocturne éclairé d'écume blanche. Dans une solitude totale, il travaille une matière de plus en plus fluide, alternant les couleurs violentes et les transparences grises nuancées à l'infini. Mais surtout, il se bat contre cette « trop grande part de hazard*, comme un vertige » qui le met dans « des états lamentables de découragement ». Il veut sans doute s'éloigner du « gang de l'abstraction avant », puisqu'il déclare à Jacques Dubourg qu'il veut peindre des personnages, des hommes à cheval, « des marchés pleins de monde ». En réalité, il peint des mouettes, le fort, des bateaux magnifiques et des natures mortes – une centaine de toiles au total.

Le 16 mars 1955, il écrit, toujours à Jacques Dubourg, une lettre très concise où il parle d'un ébéniste près des remparts à qui il a commandé deux chaises longues pour Ménerbes, et de la douane qui doit détenir des papiers concernant des petites chaises achetées en Espagne, pour Ménerbes aussi. Il dit merci pour tout et glisse seulement ceci : « Je n'ai pas la force de parachever mes tableaux. » Le jour même, il se jette du haut de son atelier, laissant inachevée une immense toile fantôme, *Le Concert*, avec un piano, une contrebasse et des partitions sans musiciens – et pas le moindre « marché plein de monde ».

« *Il faut vivre et créer. Vivre à pleurer – comme devant cette maison aux tuiles rondes et aux volets bleus sur un coteau planté de cyprès.* »
(Albert Camus)

*Nicolas de Staël écrit toujours hasard avec un z.

De Staël et Camus ont un privilège commun : l'amitié de René Char. Camus avait déjà croisé dans les couloirs de la maison Gallimard ce rugbyman reconverti poète, mais c'est en 1947 à L'Isle-sur-la-Sorgue, non loin de Ménerbes, qu'il apprend à le connaître et, sans doute aussi, à partager son refus des vaines agitations et futilités parisiennes.

Deux ans plus tard, le médecin qui soigne Camus pour sa tuberculose l'envoie respirer le bon air de Cabris, sur les collines de l'arrière-pays méditerranéen. Dans sa maison en plein sud perdue dans les oliviers et les cyprès, Camus retrouve son Algérie natale : « L'après-midi, le soleil et la lumière entrant à flots dans ma chambre, le ciel bleu et voilé, des bruits d'enfants montant du village, la chanson de la vasque dans le jardin... Et voici les heures d'Alger qui me reviennent. » Bien décidé à guérir, il s'impose une discipline draconienne et, entre les visites de Michel Gallimard, Sartre et Roger Martin du Gard, travaille à son *Homme révolté* qui promet d'être « un drôle de bouquin »...

Mais c'est à Lourmarin, un village entouré de vignes au pied des collines du Lubéron, qu'avec l'argent du Nobel, il achète une maison en 1958. Lourmarin, c'est le village aimé de Jean Grenier, le professeur de philo d'Alger qui, après avoir mis l'élève Camus au premier rang « avec les fortes têtes », est devenu son ami – et c'est un drôle de village, doté d'une église catholique, d'un temple protestant et d'un cimetière lui aussi divisé en deux par un mur.

La maison a des allures médiévales d'un côté et incertaines de l'autre côté. Une terrasse donne sur la vallée de la Durance, le château et les cyprès du cimetière. Camus grave un soleil au-dessus de la porte, range sa vieille Citroën dans le garage et, dans l'écurie, le bourricot que l'acteur Pierre Blanchar lui a envoyé d'Algérie.

« Il n'y a plus de ligne droite ni de route éclairée avec un être qui nous a quittés (...). Le jour qui allongeait le bonheur entre lui et nous n'est nulle part. » (René Char, *l'Eternité à Lourmarin*)

En mai 1959, Camus s'installe pour de bon à Lourmarin et s'organise à nouveau une vie si monacale qu'il signe ses lettres « Frère Albert O.D. » (Ordre des Dominicains!) Ce qui ne l'empêche pas de soutenir activement l'équipe de football locale et de devenir l'ami d'un forgeron au prénom pagnolesque (César-Marius) et du jardinier Franck Creac'h, anarchiste, autodidacte, breton né à Paris et recyclé provençal. Camus adopte le village qui le lui rend bien, contrairement à Henri Bosco, autre habitant de Lourmarin beaucoup plus distant. En août, après avoir suivi la troupe des *Possédés* à Venise, puis meublé le désert parisien en écoutant des chanteurs de flamenco avec

Martigues

Michel Bouquet, il revient à Lourmarin travailler à son adaptation d'*Othello*. De nouveau à Paris, il écrit à René Char son désir grandissant de quitter la capitale, où décidément, il étouffe.

Il envisage maintenant de se partager entre Paris et Lourmarin, où il retrouve en novembre sa discipline monacale pour attaquer l'écriture de son livre *le Premier Homme*, qu'il appelle son « éducation sentimentale ». Le 14 décembre, il rencontre à Aix des étudiants étrangers de trente-huit nationalités. Il leur dit que la création, c'est beaucoup de temps, de patience, de jours et parfois de mois où l'on n'écrit rien, où l'on erre de la fenêtre à la table... C'est sa dernière apparition publique, puis sa dernière interview, qu'il donne à la revue américaine *Venture*. Etrangement, lorsque sa femme Francine et ses jumeaux viennent passer avec lui les vacances de Noël, il confie à Francine son désir d'être un jour enterré à Lourmarin.

A Paris, alors qu'Emmanuel Berl s'inquiétait de ces « histoires de route » et de voitures, Camus l'avait rassuré en lui montrant le billet de train aller-retour qu'il avait acheté pour Lourmarin. Pourtant, il n'utilise pas ce billet et, le 3 janvier 1960, c'est dans la Facel Véga de Michel Gallimard qu'il remonte vers Paris. Le lendemain, la voiture fait une embardée inexplicable et heurte successivement deux platanes, avec une violence terrible. Un peu plus loin sur la route, dans une serviette de cuir couverte de boue, on retrouvera cent quarante-cinq pages manuscrites d'un livre inachevé, *le Premier Homme*.

Pour les habitants de Lourmarin, les enterrements sont l'occasion rêvée de raviver les vieilles luttes tribales. Mais le jour où l'on enterre Camus, la paix règne. Franck Creac'h l'anarchiste porte le cercueil avec un catholique qu'il déteste habituellement, toute l'équipe de football est là, et le glas ne sonne ni à l'église catholique, ni au temple protestant, mais à la tour d'horloge qui domine le village.

Aujourd'hui, Camus repose pour toujours dans le petit cimetière dont il apercevait les cyprès de sa maison, et sa tombe est enfouie sous le romarin.

« Ici, à La Redonne, je suis plus seul et plus loin de tout qu'au fin fond du Brésil. » (Blaise Cendrars)

Seul, loin de tout, et heureux comme jamais... En 1927, entre deux voyages au Brésil, Cendrars s'amarre à La Redonne, le petit port de pêche qu'il a découvert au fond d'une calanque proche de Marseille. Il est venu là pour finir d'écrire *le Plan de l'aiguille* mais il n'écrit rien du tout. En fait, il se consacre pleinement à la pétanque avec les pêcheurs, aux tournées de pastis et aux grandes balades dans le maquis avec sa chienne Volga.

Ce grand bourlingueur des quatre coins du monde, de toutes les Amériques à la Chine, de la Sibérie à la mer des Sargasses, a aussi écumé la Provence, dans la vie et dans le rêve. Dans sa *Carissima* inachevée, il racontera l'exode de Madeleine, Marthe, Lazare et tous ceux qui fuient Jérusalem, traversant la Méditerranée, échouant aux futures Saintes-Maries-de-la-Mer et se dispersant vers Marseille, Tarascon, Arles, Aix et la Sainte-Baume.

En 1917, héros de la guerre, décoré, amputé du bras droit, il est envoyé en convalescence à Cannes, qu'il quitte aussitôt pour la Villa Véranda, 26 avenue des fleurs, à Nice. C'est là qu'il fait ses débuts dans le cinéma, avec Abel Gance. C'est là aussi que Modigliani, rongé par la tuberculose, vient se refaire une santé. En ce mois de juillet 1918, on les voit arpenter ensemble le quai qui domine le port. Tous les deux vêtus de maillots rayés et Cendrars, le visage buriné, le bras coupé au-dessus du coude, une tourterelle sur l'épaule...

A son premier retour du Brésil, en 1925, on l'aperçoit sur la petite plage sauvage de La Garoupe, où le peintre américain Gerald Murphy et sa femme Sara donnent des fêtes somptueuses dans leur Villa America. Avec son ami Fernand Léger, il retrouve là Picasso, Hemingway, Stravinsky, Dos Passos (son grand admirateur) et Fitzgerald, qui prendra Murphy pour modèle de Dick Diver dans *Tendre est la nuit.*

Après quelques grands reportages pour *Paris-Soir*, il projette un tour du monde à bord d'un trois-mâts. Tout est prêt, l'appareillage du *Passat* est prévu pour le 7 septembre 1939, mais ce jour-là, Cendrars est déjà correspondant de guerre dans les Ardennes. Les années de guerre, il va les passer ensuite à Aix-en-Provence, sans rien écrire, désespéré par les conditions de l'armistice, recherché par les Allemands, suivant sur des cartes punaisées dans sa cuisine les mouvements des armées. Jusqu'au jour d'août 1944 où les Américains entrent à Aix et où ses collègues reporters envahissent joyeusement sa cuisine...

En octobre 1945, il reçoit d'un jeune engagé de dix-huit ans, René Fallet, une lettre pétrie d'admiration sans borne, d'audace et de timidité. Il a « publié deux poèmes dans une feuille de chou corporative » mais il dit avoir « de grandes idées poétiques ». Sitôt libéré, le jeune homme se précipite à Aix voir Cendrars. Ils entrent dans un bistrot, Fallet glisse une pièce dans une machine à sous et en récolte environ un kilo... Favorablement impressionné, Cendrars, lui tendant définitivement sa main unique qu'il appelle « ma main amie », l'aide à devenir le célèbre écrivain René Fallet, qui continuera d'ailleurs d'appeler Cendrars « patron ».

Et puis c'est un jeune photographe inconnu qui arrive à Aix, Robert Doisneau. En attendant un éventuel retour de Cendrars parti en vadrouille à Marseille, Doisneau photographie les ruelles du vieil Aix et les lieux de Cézanne, du Jas de Bouffans à la Sainte-Victoire. C'est par hasard qu'il déniche Cendrars au bout de trois jours, enfoui sous les serviettes blanches du coiffeur. Il peut enfin lui offrir la bouteille de rhum qu'il trimbale partout depuis Paris… Doisneau photographie Cendrars devant sa machine, dans sa cuisine, au marché avec son panier à provisions, sans savoir encore que ces photos feront le tour du monde. Et puis, enthousiasmé par les photos banlieusardes de « ce garçon qui a du génie », Cendrars lui trouve un éditeur et écrit le texte de son livre *la Banlieue de Paris.*

« Cher Henry Miller, les gens ont du retard. Ils me veulent dans la brousse. Ils ont cinquante ans de retard. Je suis à la maison… » (Blaise Cendrars)

C'est en 1947 que débute, entre Aix-en-Provence et Big Sur, entre Cendrars et Miller, une correspondance qui ne va plus s'interrompre pendant douze ans. L'année suivante, Raymone – l'éternel amour, la femme que Cendrars a rencontrée en 1917 et qui le suivra dans le mariage (en 1949, enfin) et jusqu'au bout de sa vie – s'installe à Villefranche-sur-Mer. Et c'est à Saint-Segond, au-dessus de Villefranche, que Cendrars va trouver son lieu parfait : un chemin monte parmi les bougainvillées, un portail s'ouvre sur une sorte de brousse, le chien Wagon-lit joue avec un chat minuscule, et Raymone sert aux amis – Doisneau, Pierre Seghers, Malaparte et bien d'autres journalistes, voyageurs ou écrivains – le breuvage rituel : vin blanc, citron, sucre. Dans *le Lotissement du ciel,* Cendrars racontera les oiseaux de toutes les couleurs, les serpents et la petite ânesse Didine qui vient braire à sa fenêtre tous les matins – son paradis sur terre.

La maison dans les vignes

Ils ont tous disparu – le manchot en tricot rayé, les peintres, le marquis, l'homme qui parle aux oliviers et celui qui n'a pas voulu sauver la petite chèvre – et la Provence n'est plus ce qu'elle était, paraît-il. On la dit envahie, défigurée, surpeuplée, trop et mal aimée. C'est sans doute vrai. Mais après tout, personne ne vous oblige à visiter les Baux un dimanche d'août, en short, une bouée autour du ventre. On peut « envahir » avec délicatesse et la belle Provence existe toujours, elle est dans les images de ce livre. C'est tous les bleus du ciel et l'ocre de la terre, le soleil et l'ombre dansant sur un mur rose, un cyprès qui ne quittera jamais la minuscule bicoque dont il est le gardien. C'est cette maison dans les vignes où vous êtes venu, vous aussi, chercher la lumière et le paradis.

A ce propos : il est quatre heures et des poussières et tout est silence – la maison, le chemin, les vignes qui partent en vagues jusqu'aux collines, et vous qui rêvez dans la pénombre de la chambre. Mais voilà qu'un vacarme vous réveille. Branle-bas de combat. Les nerfs en pelote, vous auscultez l'événement. Ça ressemble, quelques décibels en moins, au cocktail urbain de pelleteuses, grues et autres marteaux pneumatiques. Ici? dans ce désert? Vous ouvrez énergiquement les volets et la mémoire vous revient... Les vignes, forcément... Vous êtes cerné par les sulfateuses et un paysan vous fait un petit signe rigolo, du haut de son engin. Visiblement, ce brave homme est content. Bien qu'il ne soit que quatre heures et quelques poussières de plus, bien que les vacances soient officiellement faites pour se reposer, ne vous laissez pas gagner par la mauvaise humeur, dites-lui bonjour et souriez. Sans lui, vous auriez émergé bien après la dernière cigale et seriez passé à côté de cette splendeur : le gris fantomatique d'avant le jour, la transparence engourdie d'où vont naître peu à peu la merveilleuse lumière, le bleu immobile du ciel de Provence.

CHAMPS

pages 42-43
Près de Vaison-la-Romaine

Le Barroux

En général, la géométrie est une science exacte. Ici, elle est rêveuse, elle relève du hasard et de l'union providentielle des couleurs. Le quatrième côté du carré n'est pas droit, il suit le chemin qui serpente vers la maison. L'alignement de sillons bruns – de ce brun où traîne un peu de violet – épouse la courbe lente de la colline. Un arbre solitaire se dresse dans le brun-violet, l'air têtu, bien décidé à vieillir là, au coin de nulle part... Et quand un champ redevient sauvage, il se laisse envahir par des fleurs impressionnistes qui frissonnent dans le soleil : coquelicots des Alpilles ou de Vauvenargues... Mais il y a aussi les fleurs civilisées, qu'on cueille dans la canicule pour en faire du parfum, tandis qu'un paysan, planté entre l'ombre et la lumière, se met à ressembler à celui de Giono : « Il est debout devant ses champs. Il a ses grands pantalons de velours brun, à côtes ; il semble vêtu avec un morceau de ses labours. »

pages suivantes
Le mont Ventoux

Sault

Le mont
Ventoux

Près des Saintes-Maries-de-la-Mer, Camargue

Les Baux-de-Provence

Sault

Près d' Arles

Les Alpilles

Les Alpilles

Vauvenargues

*Près de Saint-
Rémy-de-
Provence*

Près de Saint-Rémy-de-Provence

LAVANDES ET TOURNESOLS

pages 60-61
Le mont Ventoux

Saint-Rémy-de-Provence

La lavande sent bon et elle a toutes les vertus. Il y a la lavande mâle ou lavande aspic, dont l'essence est utilisée comme diluant par les peintres de la Renaissance. Certains prétendent que c'est l'aspic qui donne leur éclat aux couleurs de Rubens... Il y a la lavande femelle, ou officinale, souveraine en infusions contre la bronchite, ou en frictions contre les poux. On dit même que froisser cette lavande entre les doigts soulage un chien mordu par une vipère, mais rien n'est moins sûr. Et puis, de juin à septembre, ce brouillard violet, ces dunes rondes sont le lieu de travail des abeilles.

Accessoirement, on fait de l'huile avec le tournesol qui fascine Van Gogh, qui séduit enfin l'irréductible Gauguin, et dont Colette voit le cœur comme « un gâteau de miel noir » – la fleur enthousiaste, radieuse, qui multiplie le soleil par milliers et le regarde, de l'aube au crépuscule.

Le plateau de
Valensole

Le plateau de Valensole

Le mont Ventoux

Le mont
Ventoux

Le plateau du
Vaucluse

Le mont Ventoux

Le mont Ventoux

Le mont
Ventoux

pages 74-75
La vallée du Rhône

page 75
Ménerbes
Le Lubéron

Saint-Rémy-de-Provence

Les Alpilles

pages suivantes
La vallée du Rhône

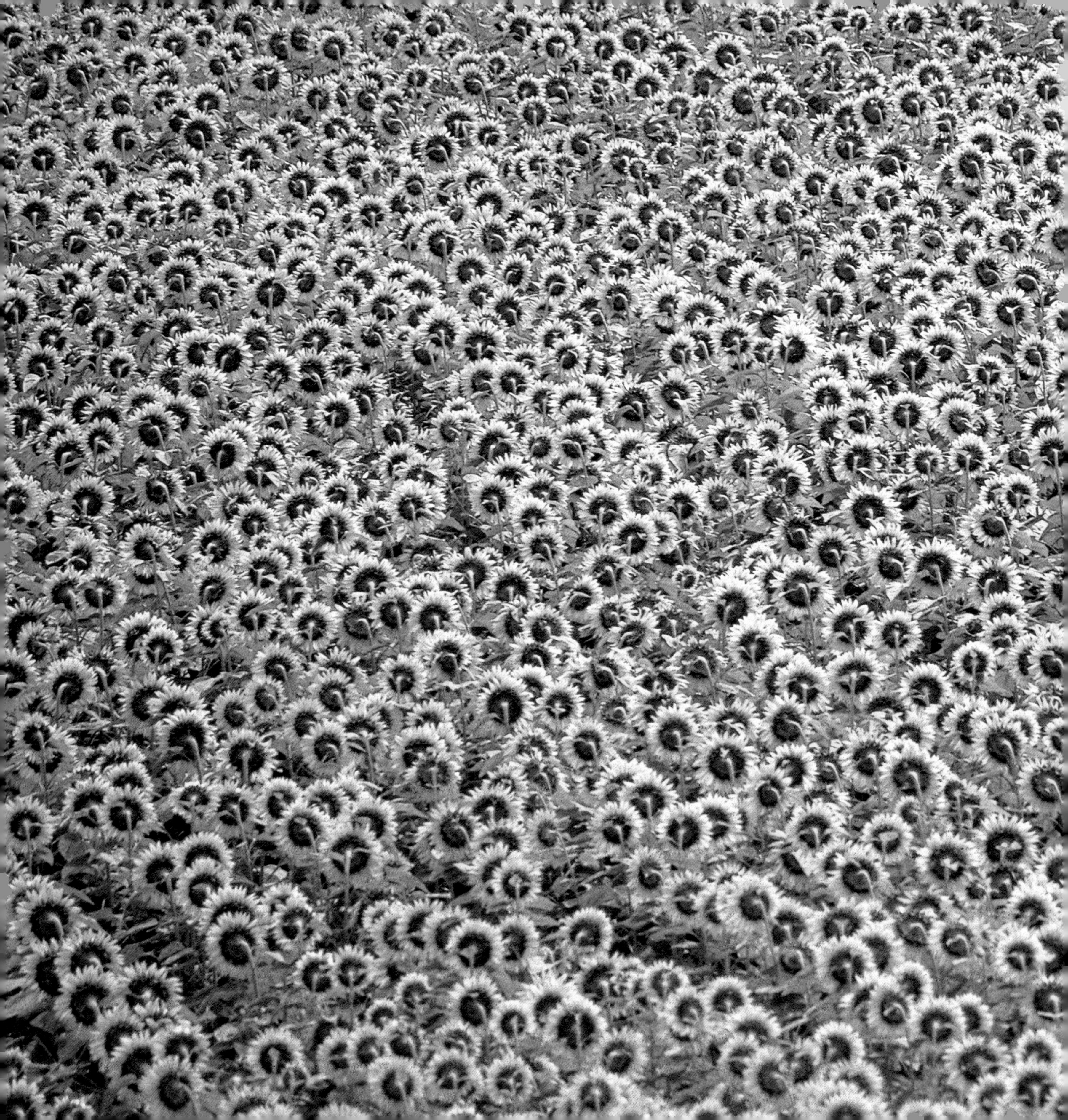

FERMES

pages 80-81
Le mont
Ventoux

Près de Sault

Un berger s'en vient avec son troupeau migrateur, et le chien couché dans l'herbe brûlée regarde fièrement le photographe. Un berger s'en va, peut-être vers cette maison de pierre érodée par trente-six mille saisons au pied des Dentelles de Montmirail.

La vache, on est surpris de la trouver là. Elle évoque une autre imagerie : l'herbe grasse, les ciels compliqués de Normandie – pas ce bleu pur ni cette canicule. En revanche, la Provence semble avoir été inventée pour les chats. Ces animaux savent vivre, ils aiment avoir *trop* chaud. Quoi de plus heureux sur terre que ces matous caméléons (brun-doré sur rose-brun) fondus dans le soleil et la rondeur des tuiles? Quand on pense qu'il existe des pays nuageux où les tuiles sont plates…

Près de Sault

Près de Sault

Près de Sault

Près de Sault

pages suivantes
Le mont Ventoux

FENETRES

pages 88-89
Roussillon,
Lubéron

Lourmarin,
Lubéron

Si les fenêtres sont l'âme des maisons, l'âme provençale est bleu lavande, jaune d'or, violette, écarlate, parfois fleurie ou décorée de chats, toujours mystérieusement close sur une pénombre intérieure. Quelquefois, un balcon dessine une dentelle noire sur le blanc usé des murs et des volets. A l'asile de Saint-Rémy, la fenêtre n'a pas de barreaux derrière ses volets bleu pâle, mais celle de Van Gogh en avait : « A travers la fenêtre barrée de fer j'aperçois un carré de blé dans un enclos, une perspective à la Van Goyen, au-dessus de laquelle le matin, je vois le soleil se lever dans sa gloire. » Aux Baux, un mur déchiqueté laisse aujourd'hui passer plus d'azur que la meurtrière. A Roussillon, un volet qu'on n'a peut-être jamais ouvert a fabriqué en toute innocence, au fil des années, un rêve de peintre : la perfection d'un bleu dégénéré dans un triomphe de rouges éblouis et fanés à la fois.

Roussillon,
Lubéron

Roussillon,
Lubéron

Martigues

Villefranche

Monieux

Saint Etienne du-Grès

Lourmarin,
Lubéron

Arles

Tarascon

Saint-Rémy-de-Provence

Ménerbes,
Lubéron

Les Baux-de-Provence

*Roussillon,
Lubéron*

Le palais des Papes, Avignon

L'hospice de Saint-Rémy-de-Provence, ancien monastère où vécut Van Gogh

Les Baux-de-Provence

Les Baux-de-Provence

Riez, plateau de Valensole

VILLAGES

pages 106-107
Près d'Eygalières, les Alpilles

Bonnieux

Parfois, tout est semblable : la pierre érodée, la poussière du chemin qui monte dans la chaleur, l'ocre pâle des murs, les tuiles délavées – un village entier usé par le soleil, accordé à cette usure avec un fatalisme heureux. Et puis, sur la place du marché, tout se réveille et prend des airs pimpants : les cerises, les framboises, les pains dorés, les poivrons et les futures ratatouilles dont on sent flotter dans l'air le parfum d'ail et d'huile d'olive. Dans les corbeilles, les épices montent et descendent les mêmes gammes colorées que les parfums dans leurs flacons. Devant le café de la place, à Saint-Paul-de-Vence, Yves Montand reste figé dans le geste auguste du joueur de pétanque – légèrement plus exalté que celui du semeur – et on voudrait voir revenir l'été et le temps des vacances pour aller s'asseoir là-bas, sur les épouvantables chaises de plastique rouge de la terrasse, dans l'ombre flottante d'un arbre et la torpeur que l'on devine.

Gordes, Lubéron

Eygalières,
les Alpilles

Près du village de Saint-Jean-Sault

Saint-Jean
Sault

Roussillon,
Lubéron

Roussillon,
Lubéron

Jouques

Yves Montand jouant à la pétanque, Saint-Paul-de-Vence

Biot

Roussillon,
Lubéron

DRY
PMU
Chez Francette Café de l'Hôtel
LE MIKADO
ZION
TAVEL
LES SOURCES
POUZILHAC
FÊTE VOTIVE

Uzès

Aurel

Maussane-les-Alpilles

Saint-Rémy-de-Provence

Nîmes

Saint-Rémy-de-Provence

Tarascon

Fontvieille

Saint-Rémy-de-Provence

Saint-Rémy-de-Provence

Gourdon

Gourdon

PIERRES

pages 128-129
La nécropole romaine des Alyscamps, Arles

Gordes, Lubéron

Van Gogh savait-il, en peignant les Alyscamps et le pont de Trinquetaille, qu'il reprenait le chemin d'une coutume ancienne ? En effet, les riverains du Rhône confiaient jadis leur cercueil au fleuve, avec une petite boîte scellée contenant l'argent destiné aux gens de Trinquetaille – un quartier d'Arles – qui repêchaient les morts et leur assuraient le repos éternel aux Alyscamps. C'est saint Trophime, dont on peut lire la légende sculptée sur le portail de son église d'Arles, qui consacra dans la nécropole une sépulture pour les Chrétiens.

Anges et saints sculptés, visages tourmentés ou extatiques, falaises de Sisteron, chemin de Gordes qui monte vers le ciel, magnifiques corps décapités de Saint-Rémy, tombeaux gris des Alyscamps sous les arbres surgis d'entre les morts – la pierre provençale, romane ou romaine, travaillée par l'homme ou des siècles d'intempéries, est le lieu privilégié des hantises et de la mémoire.

Relief romain et gargouille, Arles

Saint-Trophime, Arles

Abbatiale Saint-Gilles, Saint-Gilles

Saint-Trophime, Arles

Vestiges romains, Saint-Rémy-de-Provence

Sisteron

pages suivantes
L'amphithéâtre romain, Arles

Les Baux-de-Provence

Les remparts du
palais des Papes,
Avignon

La tour de
Fenestrelle, Uzès

La cathédrale
Saint-Sauveur,
Aix-en-Provence

Le mausolée romain, Saint-Rémy-de-Provence

Le mausolée et l'arc commémoratifs romains, Saint-Rémy-de-Provence

Sarcophage des Alyscamps, Arles

Saint-Paul-de-Vence

Gordes

Les colonnes romaines à Glanum, près de Saint-Rémy-de-Provence

VILLES

pages 148 -149
Le pont d'Avignon

La cathédrale Notre-Dame de la Major, Marseille

Miraculeusement construit par un enfant, détruit par les fureurs du Rhône et de l'hiver, le pont d'Avignon nous revient intact, par la décision d'un cadrage qui laisse hors champ la cassure et le vide, ressuscitant le rêve d'un pont invulnérable de dix-neuf arches, et justifiant de manière plus convaincante le fait que saint Bénezet soit officiellement le patron des ingénieurs et constructeurs de ponts...

En Avignon, dans une Provence décimée par la peste – qui devait emporter la Laure de Pétrarque, la femme et les deux enfants de Nostradamus – et sans cesse traversée par toutes les armées en guerre, les papes édifient leur palais, « la plus belle et la plus forte maison du monde » selon Froissart.

Notre-Dame-de-la-Garde, grosse pièce montée romano-byzantine rêvée (ou cauchemardée) par Espérandieu, est encombrée d'ex-voto, en remerciement des innombrables sauvetages en mer et guérisons miraculeuses dont les Marseillais lui sont redevables.

Autour de la fontaine d'Aix rôde le souvenir de Cézanne, et dans la lumière paisible de l'asile de Saint-Rémy, les fantômes des compagnons de Van Gogh – « d'honorables aliénés qui portent toujours un chapeau, des lunettes, une canne et une tenue de voyage, comme aux bains de mer à peu près »...

Aix-en-Provence

Près d'Arles

Le cloître Saint-Trophime, Arles

Le cloître Saint-
Sauveur,
Aix-en-Provence

Le monastère Saint-Paul-de-Mausole, Saint-Rémy-de-Provence

Domaine Sainte-Anne, Arles

Arles

Aix-en-Provence

Avignon

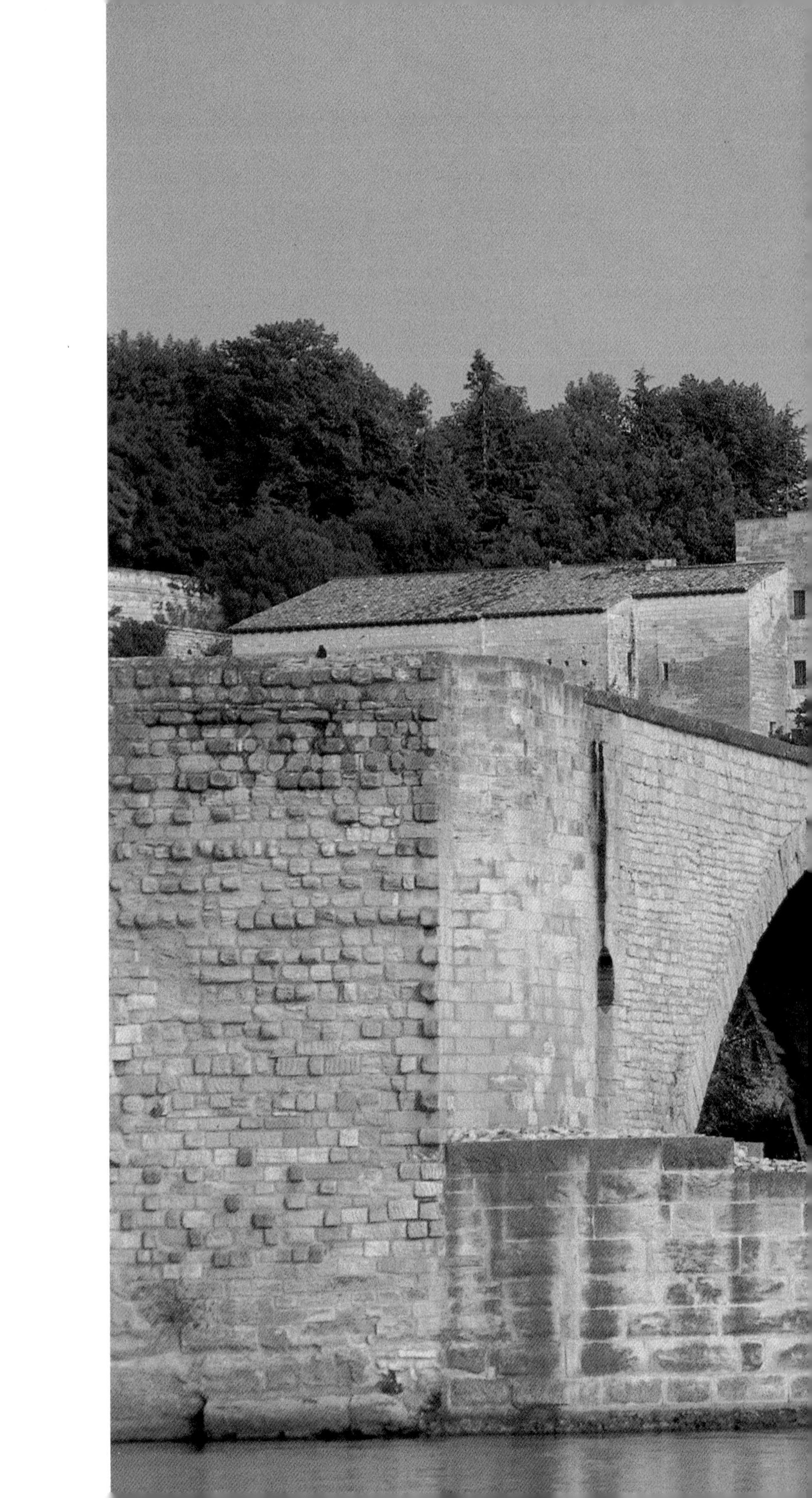

PAYSAGES DE TERRE ET DE MER

*pages 162-163
Les Dentelles
de Montmirail*

*Carrières d'ocre
à Roussillon,
Lubéron*

outes les Provences sont là.

La Sainte-Victoire de Cézanne, que Giono voyait, « avec sa fantastique voilure de rochers blancs, comme un vaisseau fantôme en plein jour ». Devant, un arbre se fond dans cette irréalité avec des grâces japonaises.

De vraies voiles blanches, cette fois, minuscules dans le bleu marin, et un village perché parmi les fleurs – les deux pôles du bonheur de Colette : « J'aime les villages provençaux qui épousent la pointe sèche de leur colline (...). Mais en été je me lasse vite, à m'enfoncer dans les terres ; j'ai tôt soif de la mer, de l'inflexible suture horizontale, bleu contre bleu... »

Le flamboiement des carrières d'ocre, le chaos rocheux des Baux-de-Provence, où Cocteau tourna *le Testament d'Orphée*, son dernier film. Cette maison dans une nuit surréelle, qui semble fraterniser avec *l'Empire des lumières* de Magritte. Un nuage blanc délicatement accroché aux Dentelles de Montmirail – c'est du moins le nom qu'on leur donne du côté de Beaumes-de-Venise ; de l'autre côté, elles deviennent Dentelles de Gigondas...

Et la clarté bienheureuse qui baigne la terre et le ciel... Presque chaque printemps, Bonnard peignait obstinément le même amandier qui fleurissait dans son jardin. A propos du dernier de ces amandiers, l'année de sa mort, il cherchait encore le secret du frémissement des couleurs dans cette lumière : « Ce vert, sur ce peu de terrain en bas à gauche, ne va pas. Il faut du jaune... »

Montagne Sainte-Victoire

Carrières d'ocre à Roussillon, Lubéron

Montagne Sainte-Victoire

Les Dentelles de
Montmirail

Les Baux-
de-Provence

La Roque Alric
Beaumes-
de-Venise

Les Baux-de-Provence

Cassis

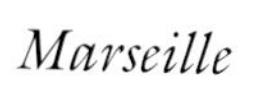

Marseille

Le mausolée
romain,
Saint-Rémy-
de-Provence

Sault

REMERCIEMENTS

Nous voulons exprimer ici notre plus grande gratitude à Susan Costello
qui a cru en ce livre et nous a aidés à le mener à bien.
Nous sommes également reconnaissants à Patti Fabricant pour son talent
et sa patience sans limites et à Marike Gauthier pour ses conseils avisés
et son aide généreuse. Nous remercions vivement Robert Abrams
qui nous a permis de faire ce livre.
Un grand merci également à tous nos amis pour leurs encouragements
et plus particulièrement à nos confrères de Image Bank.
Nos amis français nous ont toujours soutenus et aidés :
Danielle et Michel Droy, Anne-Sarah Fayet, Huguette et Alfred Giuliato,
Andrée et Pierre Liardet, Jacques Lumia et ses sapeurs-pompiers de Miramas,
M. et Mme Menant, Myriam et Patrick Thiant et tous les Provençaux.
Qu'ils soient ici tous chaleureusement remerciés.

NOTE DES PHOTOGRAPHES

La première fois, nous sommes allés en Provence afin de rendre hommage
à Van Gogh, Matisse, Cézanne et Picasso. Nous étions ,
comme tant d'autres avant nous, attirés par la lumière, la couleur,
la joie de vivre; la mer et la terre. Un endroit où les paysans sont des artistes
qui modèlent leurs champs. Au fil des années, au gré des saisons,
nous revenons en Provence comme nous reviendrions chez nous.
Et chaque fois nous essayons de capter le sens des lieux,
l'essence de NOTRE *Provence.*

INDEX

Les chiffres en italique correspondent aux illustrations; les chiffres en gras correspondent aux noms relevés dans les citations.

Aix-en-Provence *12*, 31, 38, 39, 40, 151, *153*, *155*, *158-159*
Alexandrie 23
Allégret (Yves) 24
Alpilles (Les)*4*, 16, 45, *53*, *54-55*, *77*, *106-107*
Alyscamps (Les) *9*, 18, 26, *128-129*, 131, *132*, *134*, *145*
Antibes 21, 22, 32, 34, 35
Aristote 16
Arles *9*, *10-11*, 15, 18, *27*, 39, *53*, *97*, 131, *157*
Arletty 21
Aubagne 14, 24, 25
Aubignane 24, 25
Audiberti (Jacques) 22
Aurel *119*
Avignon 14, 17, 26, *103*, 151
Avignon (Pont d') 26, 131, *148-149*
Avignon (Raymond et Sirmonde d') 29

Bardot (Brigitte) 33
Barrault (Jean-Louis) 21
Barres-de-Saint-Esprit 24
Barroux (Le) *44*
Barthelasse (Ile de la) 26
Baux-de-Provence (Les) 16, 26, 40, *50-51*, 91, *104*, *105*, *140*, 165, *170*, *172*
Beaumes-de-Venise 165, *170-171*
Bénezet 26, 151
Berl (Emmanuel) 38
Biot *118*
Blanchar (Pierre) 36
Bonnard (Pierre) 33, 34, 165
Bonnieux *1*, *108*
Bosco (Pierre) 36
Bouquet (Michel) 38
Braque (Georges) 21, **29**, 31, 32, 33
Brasseur (Pierre) 21
Breton (André) 29

Cabris 36
Cagnes-sur-Mer 31
Camargue 14, 26, *51*
Camus (Albert) **35**, 36, 38
Canebière 24
Cannes 39
Cannet 33
Carco (Francis) 15
Carné (Marcel) 21
Cartier-Bresson (Henri) 34
Cassis 32, *173*
Cendrars (Blaise) **38**, 38, 39, 40, **40**
Cendrars (Raymone) 40
César 24
Cézanne (Paul) *12*, 17, 29, 31, **32**, 40, 151, 165
Chagall (Marc) 21, 22, 31
Char (René) 34, 35, 36, **36**, 38
Chateaubriand (François, René de) 23
Chateaurenard *121*
Chopin (Frédéric) 23
Cocteau (Jean) 33, 165
Colette **13**, 13, **14**, 14,15, 32, 63, 165
Collioure 32
Constantinople 23
Creac'h (Franck) 36, 38

Dante 16
Daudet (Alphonse) 18, **25**, 25, **26**, 26, *27*, 28
Delacroix (Eugène) 18
Démosthène 22
Dentelles de Gigondas 165
Dentelles de Montmirail 88, *162-163*, 165, *168-169*
Derain (André) 31,32
Diver (Dick) 39
Doisneau (Robert) 39, 40
Dos Passos (John) 39
Dubourg (jacques) 34, 35
Dubout (Albert) 24
Dufy (Raoul) 31, 32
Duhamel (Marcel) 21
Dumas (Alexandre) 16
Dunoyer de Segonzac (André) 15

Escalier (Patience) 18
Escartefigue 24
Eschyle 16
Espérandieu (Jacques Henri)151
Estaque (L') 29, 31, 32
Esterel 33
Eygalières *106-107*, *110-111*

Fallet (René) 39
Fanny 24
Faria (L'abbé)
Fitzgerald (Francis Scott) 39
Flaubert (Gustave) **23**, 23
Fontvielle 25
Froissart (Jean) 151

Gallimard (Michel) 36, 38
Gance (Abel) 39
Gard (Pont du) 25
Gauguin (Paul) 17, 18, 63
Géraldy (Paul) 15
Giono (Jean) 14, **22**, 23, 24, 45, 165
Giordano 22
Glanum *147*
Gordes *5*, 131, *146*